# Mi Hermano Menor, Elisha

Chiquita M. Hughes

IBSN: 978-1-7375427-5-9

# DEDICATION

A mis padres, mis primeros maestros, Lawrence y Betty Hughes, gracias por invertir en tantos libros que llenaron mi biblioteca de niña.

A mis hijos, y porristas, Cletis Junior, Christina, Cianna, y Caleb: Son una bendición para mí de tantas maneras. Este libro esta dedicado a todos los pequeños manojos alegría nacidos en nuestra familia y los que vendrán. Honro a sus cónyuges y me siento tan bendecida de ser una MeMe (Abuela)

A mis nietos, son la inspiración de estas historias. Disfruto sus conversaciones y las memorias que estamos construyendo juntos.

Jelly Beans
5¢

**Este es Elisha**
**El es mi hermano menor.**
**Yo soy su hermano mayor. Nosotros compartimos una habitación al lado de la habitación de invitados.**

5¢

**Elisha está aprendiendo a hablar,**
**Él puede decir algunas palabras,**
**Pero aún no puede decir otras palabras**

Elisha le gusta seguirme
por toda la casa,
A veces me gusta,
A veces no.

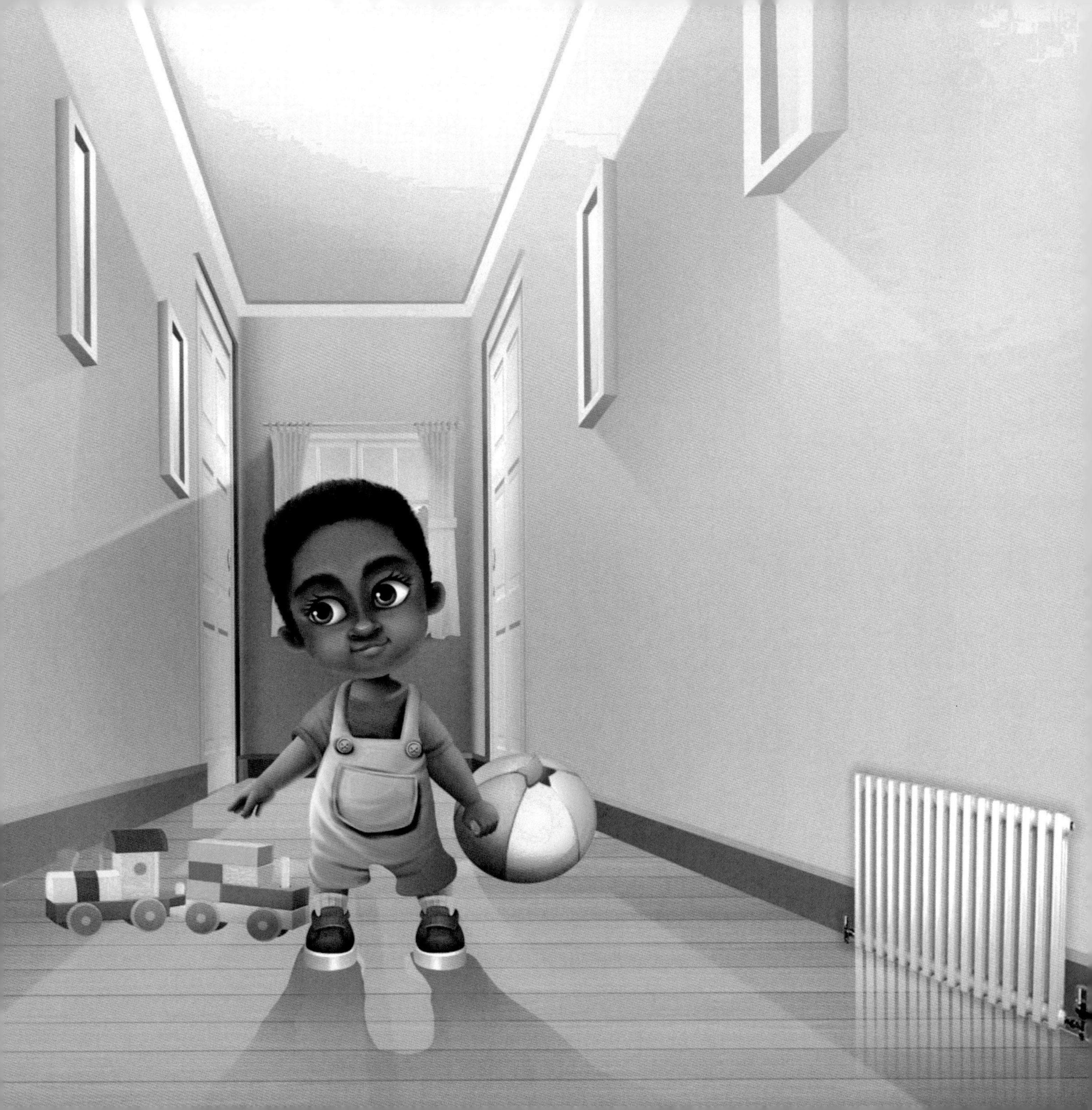

A veces me escondo y Elisha no puede encontrarme. Mi mamá dice -Se amable con tu hermano, Pum. -Sí, mamá -contesto.

Cuando toco mi batería,
Elisha toca las suyos también.

**Cuando juego con la Bebé Grace,
Elisha juega con la Bebé Grace también.
¡Mamá...! ¡Elisha hace todo lo que yo hago!**

**Cuando salto de arriba abajo,
Elisha salta de arriba abajo también.**

Cuando canto con mi micrófono,
Elisha juega con su micrófono también.

-Aprendiste nuevas cosas de Mami y de mí - dijo Papi-
y ahora, tu estas enseñando a tu hermano lo que
que sabes. Estás enseñando a Elisha nuevas cosas,
él esta aprendiendo de ti, Pum. -Oh –dije y luego
sonreí muy grande. -Buen trabajo, Pum –dijo mami.

**Cuando comemos juntos en mi casita de juegos, no me molesta. Nos divertimos y reímos mucho a la hora de la siesta. No queríamos tomar nuestras siestas.**

**Pero nos gusta comer helados en el porche.**
**De verdad quiero a mi hermano, Elisha.**
**¡Nos divertimos mucho juntos!**

-¡Vamos, Elisha! Te enseñaré a andar en mi triciclo.
Elisha me siguió afuera.
¿Y sabes? No me molestó.

**Pum es un pequeño niño curioso y creciente músico que está creciendo en el suroeste de América. Vive con su Papi, su Mami, su hermano menor Elisha, y su hermana bebé Grace. La batería es su instrumento favorito.**

# ABOUT THE AUTHOR

Chiquita Hughes es una enérgica presentadora, autora, cantante, compositora, estudiante y educadora apasionada que disfruta interactuando con los líderes escolares, el personal y las familias. Su misión en la vida es mejorar la vida de los demás a través de la canción, la palabra o la acción. Chiquita se inspira en su fe, su familia y sus amigos para escribir. Hace varios años, soñaba con escribir libros infantiles cuando sus cuatro hijos eran pequeños. Como abuela, Chiquita está especialmente motivada a perseguir este sueño mientras pasa tiempo de calidad con sus cuatro hermosos y pequeños nietos -Isaiah, Cletis III, Elisha y Grace.

"La vida es un viaje y el amor es el combustible que la hace valiosa. Elige amar".
Chiquita Hughes

Made in the USA
Middletown, DE
22 February 2023